Laura

Que mi historia de vida pueda impactar la tuya.

Si es posible trascender el dolor. Un día a la vez.

No te dejes para después. Amor es la respuesta.

Ana Carmen Castillo

Fue justo en el dolor donde mi alma cobró vida…

FIBROMIALGIA

TRASCIENDE EL UMBRAL DEL DOLOR

#undiaalavez

ANA CARINA CASTILLO

Fibromialgia

Ana Carina Castillo

Publicado por: Editorial Bien-etre.

Diseño y Diagramación: José Paniagua.

Diseño de portada: Ceadvertising.

ISBN: 978-9945-628-19-7

Edición: Editorial Bien-etre.

www.a90d.com

Primera edición 2021.

Dedicatoria

A mi madre, quien ha sido mi mayor ejemplo de resiliencia, mi soporte, mi inspiración, mi primer amor.

A todas las personas que padecen una enfermedad crónica, a las que han tenido que hacer del dolor su amigo, a las que a diario eligen sobreponerse a lo que les pasa y seguir adelante.

Agradecimientos

"La raíz de todo bien reposa en la tierra de la gratitud".
Dalai Lama

Agradezco a Dios, fuente de mi vida y talentos. Por él, lo que soy y seré, quien con su amor, gracia y misericordia me ha sostenido dándome las fuerzas para seguir adelante. Gracias Padre, porque en ti todo obra para bien.

A mi madre, mi mayor bendición, quien tuvo el valor de conservar su embarazo, darme vida, entregarme el alma con sus cuidados. Con ella conocí el verdadero amor, ese que sacó mi mejor versión y me dio el impulso para sobreponerme a las adversidades y construir una vida plena, llena de propósitos.

A mi sobrina Pamela, por animarse a vivir junto a mí este proceso de escritura. Por confirmarme que sí se puede ser joven y luz para muchos en un mundo de sombras.

A mis hermanos, Carlos Juan y José Juan, mi sobrino Jonathan y demás familiares, porque en cada etapa de mi vida hay algo de ellos que ha contribuido a formar mi carácter y motivarme a dejar un legado para las siguientes generaciones.

A mi cómplice, mi hermano, mi mejor amigo, Jhonnattan Pimentel, quien con su apoyo, amor y compresión ha hecho más placentero mi existir. En él, veo a Dios obrar y caminar junto a mí.

Gracias a la doctora Sarah Marte, por ponerle nombre a mi padecimiento y ayudarme en mi proceso de sanidad, por no verme como una paciente más y regalarme su amistad.

A mi psicoterapeuta Paola Infante, por su empatía. Por animarme a canalizar el dolor emocional desde otra perspectiva, acompañarme a dejar de postergar el cierre de ciertos ciclos de mi vida y animarme a escribir este libro.

A Arlyn Abreu, amiga, hermana, por su valiosa mirada inicial, por ser esa luz en mis días oscuros, por llevarme siempre a ver las enseñanzas de las circunstancias y a sacar lo mejor de mí.

A Adalgisa Pantaleón, quien, como yo, ha tenido que aprender a vivir con la Fibromialgia, por su apertura para prologar esta historia. Gracias amiga, por ser testimonio de que somos más que el dolor.

Al Sobreviviente, porque gracias a él forjé mi carácter, afiancé mi amor propio y sé lo que no quiero y merezco como persona. Gracias por paralizarme y a la vez enseñarme a volar.

A Perla Guzmán, por sus observaciones, admiración a lo que hago y ser ejemplo personal y profesional.

A Amalfi Eguren, amiga, mujer resiliente y con propósitos divinos, por motivarme a ser parte de la comunidad A90D y a escribir mi libro.

Gracias a Keila González Báez, en mejores manos no pude estar. Su mentoría, entrega y trato personalizado fue determinante en el proceso de escritura del libro. Su programa A90D y los aportes del equipo de Editorial Bienetre fueron una de mis mayores bendiciones del 2020.

A Monseñor De la Rosa y Carpio, por su trato paterno y apoyo incondicional. Por ser consuelo y fuente de amor en mi vida.

A Almas Nuevas, mi familia por elección, en quienes encuentro las mayores de las virtudes, corazones que laten a mi ritmo y que con solo pensarlos me dan fuerzas para continuar cuando creo no poder más.

A José Cabrera, Mercedes Jiménez, Norca Rodríguez, Robinson González y Mirian Díaz, gracias a su apoyo, ha sido más placentero el trayecto para llegar hasta aquí.

A Tantas almas de luz que me regaló Escoge, y otros tantos amigos que me ha dado la vida, gracias por la pertenencia, su apoyo e inspiración para vivir un nuevo estilo de vida.

ÍNDICE

Una mirada inicial

En la vida solemos tener muchos planes, muchos sueños. De niños tenemos ciertas ideas de lo que queremos ser cuando seamos grandes. Pero, con el paso del tiempo vamos notando que cada vida es distinta, que somos tan diferentes unos de otros, pero, a la vez tan iguales, pues somos humanos al fin.

Esta historia que leerán no es una historia más, sino más bien un llamado del alma. Las líneas que siguen a mis palabras son un recordatorio de que la vida tiene una fuerza vital para auto conservarse a pesar de estar en un entorno hostil.

Ana Carina, nos comparte un trozo de su esencia, y lo hace con humildad y sencillez, ambos atributos del lenguaje del espíritu.

Soy de las que cree que todo acontecimiento en este plano tiene una razón de ser, aunque no lo sepamos. Ana Carina y esta servidora, nos conocimos hace muchos años, justamente por la escritura y la literatura. Ahora, tengo la oportunidad de expresar algunas palabras sobre su libro.

Ninguna persona podría quedar igual cuando se adentre en el universo interior de estas páginas. Cada palabra es colocada desde lo más profundo de su corazón y es una confesión que busca recordarnos quiénes somos y por qué estamos aquí.

Por momentos te reirás, en otros quizás llorarás, y notarás que la vida es eso: reír, llorar, soñar, enamorase, también perder, caer y levantarse. Si hay algo que Ana Carina vive es la persistencia, el coraje de seguir adelante aun cuando todo esté hecho pedazos. De sus fragmentos de tristeza crea arcoíris de mundos donde todo es posible.

Clasificar un libro es limitarlo. No quiero cortar las alas a su imaginación, categorizando el tipo de literatura de este escrito. De algo sí estoy segura y es la conmoción que causará en su percepción de la vida. Me atrevo a decir que habrá un antes y un después en como usted se percibe. Se cuestionará muchas cosas y sobre cómo ha encaminado su vida en los últimos años.

Estoy segura de que este texto le impulsará a un nuevo nivel de conciencia. Ana Carina nos invita a la reflexión, a la entrega absoluta hacia un poder superior que rige el orden del cosmos. Es sabido que, antes del amanecer siempre es muy oscuro y transitamos estos trayectos de luces y sombras de sus vivencias que guardan una enseñanza ancestral.

Este material no pretende ser un compendio de cómo debe vivirse, sino más bien un regalo que la autora nos da por toda la dicha que recibió en sus momentos de oscuridad, pues ella comprendió el lenguaje secreto que habla la inteligencia universal.

No tengo la menor duda de que estas líneas traerán mucha luz y claridad, elementos necesarios para la plenitud y la paz.

¡Enhorabuena!

Arlyn Abreu

Prólogo

Conocí a Ana Carina en Santiago de los Caballeros, un día en el que junto a otra amiga en común que también padece Fibromialgia, decidimos tomar algo, conocernos y contarnos nuestras luchas y padecimientos.

Como esta enfermedad era poco conocida, yo era la única de las tres, que había hablado sobre este padecimiento en entrevistas de televisión y en los diarios. Desde esa tarde nuestras conversaciones fueron más constantes y nos convertimos en grandes amigas.

Ella es de un trato dulce y cariñoso, me veía reflejada en ella. Y es así, que, en cada encuentro de la Fundación, Fundofibro, siempre estuvo presente con su entusiasmo y sus colaboraciones. Nadie puede entender más a una persona con Fibromialgia, que otro que la padezca.

Cuando me llamó para hacer el prólogo de este libro, para mí fue un gran privilegio, sabiendo que en cada palabra tendría mi amor y mi admiración.

Leer este libro instructivo de motivación, nos sirve como referencia diaria de que la vida vale la pena vivirla. De que nuestra experiencia de vida y lo que hemos pasado en la niñez, es la gran causa de muchos de nuestros dolores.

Leyendo este maravilloso texto, sentí como si yo misma lo hubiese escrito.

Los mismos dolores, la incertidumbre, las críticas de algunos cercanos, que por ignorar lo que pasa por nuestro cuerpo, somos tildadas de “esta siempre tiene algo” cosa que nos duele en lo más profundo de nuestras almas, sabiendo nosotras que, hay días en los que apenas ponemos abrir los ojos.

Que no hay un lugar de nuestro cuerpo sin dolor, cansadas del frío, de la Alodinia, insomnio, y todo lo que explica con detalle la autora en este libro.

Mi carrera como cantante y actriz, siempre eran motivo de comentarios... “Pero a ella para bailar no le duele nada”. No sabiendo que en ese momento liberamos endorfinas y luego de mis conciertos siempre volvían los 101 síntomas de la Fibromialgia.

La aceptación es lo más importante. La capacidad de amar, perdonar y de ser ejemplo de fortaleza para otros que hoy padecen nuestra condición y que no tienen la comprensión que se requiere por parte de su entorno, es parte de la misión de este libro.

Vivir con el dolor como compañía y aun así amar la vida, es mi premio al coraje y al arrojo ¡te amo vida y te valoro hasta la muerte! Este es un libro que hace reflexionar, no solo a los que padecemos de Fibromialgia, sino a cualquier persona que quiere aprender a vivir sin ataduras, con motivación y disfrutando un día a la vez.

Nada hará que pierda mi deseo de vivir.

Y como dice Ana, “la Fibromialgia no me tiene a mí ¡yo tengo Fibromialgia!”

Adalgisa Pantaleón

El inicio de las sospechas

"Ella tenía una sonrisa enorme.
Del mismo tamaño que su dolor"
Anónimo

Cuánta angustia, tristeza e impotencia provocaba en mí no poder tener una niñez y adolescencia normal como el resto de mis amigos.

Miro hacia esos años y recuerdo a una chica sufrida, siempre enferma, que no podía usar olores, esa que se limitaba a ver a sus amigos jugar, la que tenía que pasar los 365 días del año con un abrigo porque hasta la brisa le hacía mal.

Eran tantos mis malestares que mis compañeros de clases me llamaban "Dolores", calificativo que me hacía sentir triste, rechazada, y frustrada por no poder comprender lo que me pasaba y sentir que se burlaban de mí. Solo tenía un amigo, mi mejor amigo, en quien encontraba apoyo y comprensión.

Por más que descansaba siempre estaba agotada, sin fuerzas. Sentía como si me hubieran dado una golpiza. Pero, lo que más me dolía era la incomprensión de mi familia, quienes llamaban a mis malestares vagancia y drama.

Les resultaba curioso que me viera muy bien y de repente escucharme decir que me sentía horrible, al punto de no poder pararme de la cama.

Y sí, confieso que hasta para mí eran muy abruptos los cambios de mi cuerpo.

Había días en que me levantaba sintiéndome la persona más sana del mundo, y en las noches estaba en la sala de emergencias de una clínica con dolores musculares y estomacales inaguantables.

Con 13 años de edad, llegué a creer que, quizás, era producto de mi mente. Que ellos tenían razón al creerme vaga y dramática, pues también creía que lo hacía para llamar su atención y la de las personas de mi entorno, producto del abandono de mi padre. Me aterraba sentirme rechazada y no amada.

Pero mis síntomas empeoraban y eran cada vez más. Lo que denotaba que lo que yo estaba experimentando iba más allá de un llamado de atención o de no querer ayudar en los quehaceres del hogar.

La sonrisa que caracterizaba mi rostro era proporcional a lo mal que me sentía por dentro, pero a la vez era mi capa protectora para que no me vieran como la débil, la rara o a la que siempre le pasaba algo.

Sostener la máscara de que todo estaba bien, pese a que cada día sentía que me moría, generaba estrés en mí, irritabilidad y deseos de no hacer nada. Esta postura no evitó que del cansancio pasara a experimentar dolores musculares inexplicables, mareos, pérdida de peso y del cabello, así como malestares estomacales frecuentes.

Eran tan, pero tan bajas mis defensas que todo "lo que andaba en el aire" me daba. Al punto de que pasaba más tiempo entre los doctores que en la escuela.

Debí reprobar por ausencia, pero a pesar de mi condición lograba estar al día y tener buenas calificaciones (por lo menos la divinidad me dotó de inteligencia) y los maestros valoraban mi esfuerzo y no reportaban todas mis faltas.

Para ese entonces los doctores decían que mi problema se debía a que padecía de anemia, una afección en que la sangre no cuenta con suficientes glóbulos rojos sanos, lo que provocaba una reducción del flujo de oxígeno hacia los órganos. Entre sus síntomas, están la fatiga, aturdimiento y los mareos que yo estaba presentando.

Según los exámenes que me realizaron, mi tipo de anemia era por falta de hierro y mi hemoglobina no pasaba de 8 puntos cuando el rango normal en una mujer es de 12 a 15. Mi doctora llegó a creer que yo podía tener leucemia o estar al cruzar la línea de tenerla. La sospecha se debía a los síntomas que estaba experimentando y a que cuando nací estuve 15 días en incubadora, limpiando mi sangre.

Los doctores que me atendieron al nacer no sabían explicar el cuadro clínico que presenté. Solo le decían a mi madre que los niños que nacen como yo, a lo mejor, uno entre mil se salva y que por eso sería muy enfermiza.

Por un momento, ponte en mi lugar y piensa cómo se sentiría una jovencita de 14 años pensando que moría sin ni siquiera celebrar sus quince años. Era muy frustrante, sentía mucha impotencia. Pero bien dijo Cicerón: "Mientras le dura al enfermo la vida, le dura la esperanza".

Por lo menos era un consuelo tener "un diagnóstico". Decía muy dentro de mí:

- "Ves, Ana Carina, no te lo estás inventando y qué bueno que vean que no eres vaga ni dramática. Ojalá ahora sí te comprendan"

A las pastillas desagradables de hierro que me daban un dolor de estómago terrible, se le sumaba los remedios caseros de mi madre, que me daba a comer todos los días hígado, habichuelas negras, lentejas, huevo pasado por agua y todo lo habido y por haber con lo que ella pensaba que yo sanaría.

Mi memoria olfativa quedó tan marcada que cada vez percibo el olor de uno de esos alimentos mi mente se va a esa época de dolor. Pero, para mi sufrir y sorpresa, el cuidado de mi madre y el llevar al pie de la letra el tratamiento cambiaron muy poco la situación. De repente, comenzó a darme fiebre, casi siempre por las tardes, señal de que algo más andaba mal en mi organismo.

Los resultados del laboratorio arrojaron fiebre tifoidea, que se produce por la bacteria *Salmonella Typhi* y se transmite a través de alimentos y agua contaminada. Me daba fiebre alta, dolor de cabeza, dolor abdominal, cansancio, dolores musculares, estreñimiento o diarrea. Signos que, para mí, fuera de las fiebres altas y constantes, ya eran comunes. Me repitió por cuatro ocasiones en épocas diferentes, por lo que la doctora dijo a mi mamá que no podía darme una vez más porque podía ser fatal.

Con tristeza, reconozco que estar enferma y pasar la mayor parte del tiempo encerrada se convirtió en mi estilo de vida. Me confortaba mi fe en Dios. Creo que estar desde muy pequeña en sus caminos, participar de la misa y visitar el Sagrario me daban las fuerzas para seguir transitando las pruebas con la esperanza de que algún día todo sería parte de un mal recuerdo. Pero, el camino pintaba largo; las pruebas apenas empezaban.

Cuando pensaba que ya estaba sanando, aparecía una nueva. A la fiebre le siguió una amigdalitis que me visitó año tras año por un periodo de 10 años, siendo sometida a un tratamiento de inyecciones de antibióticos de los más fuertes, (una interdiaria para ser exactos), reduciendo esto mucho más mis defensas.

Por momentos, deseaba no existir. Sentía era "mucho con demasiado para mí" y para mi madre, quien, sin ayuda, levantándose a diario a las dos de la mañana a freír pastelitos y luego salir a venderlos, tenía que invertir todo su dinero en mis tratamientos y desgastarse en mi cuidado.

Me negaba a creer que viviría siempre bajo la sentencia de los doctores y que todo lo que estaba viviendo era a causa de la anemia. Como dice el dicho: "Al dedo malo todo se le pega". Para la época de gripe me veía muy mal y pasaba de bronquitis, a pulmonía y neumonía. Las fiebres eran tan altas que convulsionaba, se me doblaban las manos y los pies, me salían puntos rojos en todo el cuerpo y los antibióticos eran mi alimento de cada día.

Súmele a esto, los comentarios fuera de lugar de muchos vecinos.

Recuerdo la vez que la vecina de al lado me preguntó:

— ¿Cómo te sientes hoy, Ana Carina?

—Más o menos vecina. Usted sabe, aquí—respondí.

—Bueno, tienes que ponerte las pilas para que no te quedes sola; a los hombres no les gustan las mujeres enfermas —afirmó.

— ¡Ay, vecina! —respondí.

—Y suerte que todavía no tienes marido. Por eso, creo no te ha dado sida.

Me quedé pensando qué habrá querido decir con ese comentario.

Estas expresiones dañaban mi autoestima, y adolescente al fin, le daba más mente de la cuenta, sintiéndome confundida, desdichada, atacada, burlada y desesperada por no ser "una joven normal".

Me preguntaba, ¿qué estaré pagando, ¿qué más tengo que pasar? Sin imaginar que el viacrucis hacia el mal mayor recién iniciaba. Mi alma ya estaba cansada.

El camino hacia el diagnóstico

¡Ayúdeme doctor, estoy enferma!

Ese día en la consulta del médico escuché por primera vez la palabra hipocondríaca. Al principio no lo entendí en lo absoluto, más tarde me sentí insultada.

Para que me entiendas, según el Dr. David Bustos (2019), "la hipocondría es un trastorno psiquiátrico que se caracteriza esencialmente por la creencia de padecer alguna enfermedad seria y potencialmente letal o el miedo a contraerla". Dicho de manera sencilla, es que sientas que tienes signos indicativos de alguna enfermedad grave y que por más que vas al médico no te encuentran nada, y sigues creyendo que estás enfermo, bajo los efectos de un estrés indescriptible.

En la búsqueda de una respuesta distinta a lo que me pasaba, lo que encontré fue la coincidencia de varios galenos al considerarme hipocondríaca. El que me creyeran enferma imaginaria era tan degradante, frustrante, humillante y triste para mí, que me rehusaba a aceptar que a un grupo de especialistas se les hiciera más fácil responsabilizarme de lo que yo sabía y sentía que era real, en vez de ir al fondo del asunto y darme un dictamen que diera respuesta a lo que consumía mi salud.

Queriendo demostrarme a mí misma que yo tenía la razón, hice que mi madre incurriera en deudas llevándome a otros médicos. Entendía que muy en el fondo, ella al igual que yo anhelaba una respuesta certera que pusiera fin a tantos años de sufrimiento causado por los padecimientos antes contados y por otros tantos que aún no tenían una aparente causa más que “mi mente”.

Esta búsqueda incansable trajo más incertidumbre que paz, pues uno de los doctores consultados concluía que todo era producto del cuadro clínico que presenté en el momento de mi nacimiento, mientras que, otros aseguraban que yo no tenía nada fuera de la hipocondría. Quedé perpleja ante semejantes conclusiones y pocas veces he sentido tanta rabia e impotencia como en ese momento.

Era rendirme y aceptar el diagnóstico o seguir buscando otra opinión, aunque eso implicara aún más desgaste físico, económico y emocional.

Llegan a mi mente los momentos posteriores, y eso que tengo muy mala memoria. Me veo cabizbaja, apática, mi peculiar sonrisa era menos expresiva y como la mente es tan creativa, las suposiciones y expresiones fuera de lugar de los vecinos volvieron a cobrar fuerza.

Entre las cosas que le decían a mi madre, era que tuviera cuidado conmigo, que a lo mejor algún chico me había hecho algo y yo prefería callarlo y por eso estaba así. Suficiente con lo que estaba viviendo para agregarle el virus letal del chisme.

Pero, los chismosos no contaban con que mi mamá los frenaría y no les daría color a sus suposiciones. Ella más que nadie vivía y comprendía mi pesar. Ante tantos gestos de empatía, queda corta la expresión de que el amor de una madre no tiene comparación. Amor que no impidió que ella reconociera que mi actitud frente a lo que acontecía no estaba siendo la mejor. Estaba desesperada por encontrar algo que me ayudara a recobrar mi alegría, por lo que aceptó la sugerencia de su comadre de llevarme a un psiquiatra.

Cuando me comunicó su decisión solo respiré profundo. Por mi cabeza pasaron tantas cosas.

—Mami, ¿pero ahora tú también crees que estoy loca?

—Yo no he dicho eso mi hija —respondió.

—¿Para qué tengo que ir donde esa doctora, entonces?

—Lo hago por tu bienestar. No me gusta verte triste y desmotivada —respondió.

—Está bien, llévame —afirmé.

Siendo sincera, me daba igual ir o no. Me sentía exhausta de estar como bola de pimpón, de doctor en doctor y no tener resultados distintos.

El día de la cita, no podía disimular los nervios. Era la primera vez que visitaba a un especialista de salud mental. Sentí una mezcla de emociones, porque mi madre no me acompañó. Me mandó con su comadre que trabajaba en el centro de salud. Consideraba que era una consulta como las tantas que había tenido y no era determinante que ella fuera. Además, tenía que trabajar.

Yo no sabía si en realidad esto serviría para algo o me haría más daño, con todos los prejuicios que se tejen detrás de los pacientes psiquiátricos. Ahora sí que van a empezar a hablar los vecinos, pensé.

Gracias al trato de la doctora, entré rápido en confianza. Su forma de ser hizo que me sintiera comprendida y tranquila. Tranquilidad que se vio empañada cuando me dijo:

—Tienes depresión. Como tratamiento, usaremos ansiolíticos, antidepresivos y terapia conductual.

No dejé que terminara de hablar y le dije:

—¿Depresión?

—Sí, depresión —dijo con voz pausada.

—17 años de edad y junto a mi rosario de padecimientos estoy siendo diagnosticada con depresión. ¿Qué más mi Dios? ¿dime qué más? —expresé frustrada.

Luego de un largo rato de concientización, llegué a la "aceptación" y me fui más tranquila a casa.

La comadre, que esperó fuera del consultorio, estaba ansiosa por saber la conclusión de la consulta. Al contarle, lo tomó de buena manera y me animó al decirme que ella le informaría a mi mamá y nos ayudaría a conseguir los medicamentos, pues sabía que eran muy costosos.

Pasados los días, mi ánimo era otro. Podía dormir mejor y me volvió el apetito. Al parecer, fue una buena decisión ir a la psiquiatra y seguir sus indicaciones.

Tan notable era mi cambio de actitud, que me animé a motivar a mi mejor amigo a que fuera donde esa doctora. Él atravesaba situaciones familiares difíciles y dentro de mis buenas intenciones, consideré que, si iba, encontraría una solución a sus problemas y se sentiría mejor al igual que yo. Muy entusiasmado aceptó, con la salvedad de que iría sin decirle a sus padres; no confiaba en ellos, pues sentía eran el origen de su pesar. Sería un secreto entre ambos, sin imaginar, ninguno de los dos, la consecuencia que traería esta acción.

Para nuestro asombro, también fue diagnosticado con depresión. Apenada por él, me vi en su espejo y me sirvió de consuelo. Yo tenía una madre y grupo de personas que me servían de apoyo. Mi amigo no podía decir lo mismo. Pero, ahí estaba yo, para escucharle y acompañarle. La reciprocidad hizo llevadero el mal momento.

No pasó mucho tiempo para que el secreto saliera a la luz. Sí, en verdad nada hay oculto bajo el sol. Mi amigo disfrutaba de un compartir familiar en casa de su tía, con su papá, quien estaba separado de su madre. Ella, buscando entre sus cosas, encontró los antidepresivos que le había recetado la psiquiatra.

Histérica, llamó a su expareja y sin pruebas reales le aseguró que su hijo estaba consumiendo drogas. Tal vez estés riéndote en este momento, pero, aunque parezca exagerado, para ella el medicamento era un estupefaciente prohibido.

Si ella reaccionó de esa manera, ni pensar en el papá, un hombre de carácter fuerte, de esos que su punto de vista es el válido. Aunque no estaba del todo presente en la vida de su hijo, se sentía con toda la autoridad para interferir, ordenar y reprimir sin dar la oportunidad de escuchar el sentir de su vástago. Mostró una actitud agresiva hacia él. Lo haló por la camiseta, le gritó, y secundó las suposiciones de la mamá.

Mi amigo, más que aterrado por el castigo que le esperaba, lo estaba por lo que la doctora pudiera revelar a sus padres de lo contado en la terapia. Pensó que si reaccionaron así porque fue a consulta y lo medicaron sin el consentimiento de ellos, cómo lo harían si se enteraban de que gran parte de su depresión era por el trato recibido de ellos.

La situación no quedó ahí. El señor fue al hospital y le hizo un escándalo a la psiquiatra. Estoy de acuerdo con que ella no debió medicar a un joven de 17 años sin permiso de sus tutores, pero no era la manera de aclarar la situación. Como comprenderás, fue un acto vergonzoso para él y muy doloroso, el hecho de que la doctora que le estaba dando respuesta a su problema le dijera: —Prescindo de usted como paciente.

Ah, pero no solo la especialista llevó, a mí también me tocó un poco del *show*. Con actitud pedante y reclamando, el don fue a mi casa a insultarme, porque según él, yo estaba mal influenciando a su hijo y que por mi culpa cometió el hecho que tanto repudio le causaba. Yo, molesta también, dejé que se expresara. Cuando por fin hizo silencio, le di la respuesta que jamás imaginó.

—Es muy fácil para usted reclamar y asumir el papel de padre abnegado. Le aseguro que conoce muy poco a su hijo. ¿Qué sabe usted de su sentir? Muy pocas veces está presente, ni en este país vive usted. Para su información, una de las causas que llevó a su hijo a consultar una psiquiatra fue la falta de una figura paterna. Él no necesita reclamo. Su accionar es un grito desesperado por amor. ¿Quiere ayudarlo? Ámelo.

Al escucharme, su actitud fue cambiando. Trató de justificarse, pero en el fondo sabía que yo estaba en lo cierto y terminó agradeciendo que yo fuera la mejor amiga de su hijo y que me importara su bienestar.

Juraba que mi mamá me regañaría por lo ocurrido, pero como quiere a mi amigo como a un hijo, aprovechó la conversación para decirle al señor sus verdades. Fue muy significativo para mí escucharla resaltar las tantas cualidades de su "hijo adoptivo" y pedir un mejor trato para él.

En solidaridad con mi amigo, decidí no volver a donde esa doctora. No me sentiría cómoda después del momento de mal gusto que pasamos todos y reconocí que no fue la manera correcta de hacer las cosas, aunque fuera por una buena causa. Como tantas veces he escuchado: "No hagan cosas buenas que parezcan malas".

Pasados los días, las aguas volvieron a su lugar. En casa de mi amigo todo transcurría normal y yo trataba de fluir con mi realidad.

Al notar que se me estaban acabando las medicinas, sabiendo con anterioridad que no se podían parar de golpe, comencé a preocuparme al no saber cómo reaccionaría mi organismo si así lo hacía.

Luego de meditarlo bastante y determinada en que no quería ir a otro especialista, convencí a mi madre de que me sentía muy bien (aquí entre nos, no tanto), que no era necesario que gastara más dinero en esas consultas ni que yo me hiciera dependiente de sustancias para sentirme mejor. Me hizo caso y así lo hicimos. Optamos por solo seguir con mi médico general y el hematólogo.

Buscando no tener que arrepentirnos de lo decidido, oraba cada día con más furor a mi Señor. Todas las noches recitaba la oración de Santa Teresa de Ávila: Nada te turbe, nada te espante, todo se pasa, Dios no se muda, la paciencia todo lo alcanza, quien a Dios tiene nada le falta solo Dios basta. ¡Amén!

Mis oraciones parecían estar dando frutos. Estaba sorprendida con mi mejoría. Las crisis de salud eran menos frecuentes, lo que me mantenía animada, agradecida y feliz. Sentí que el sol se volvió a posar en mi ventana.

Dentro de la recuperación, tenía días no tan buenos, pero esto no impidió que me comprometiera con la Pastoral Juvenil y el Movimiento Escoge de la Arquidiócesis de Santiago. Escenarios que me sirvieron para desarrollar mi fe y un estilo de vida en valores y servicio.

En ambos grupos me sentía aceptada y era motivador poder ser referencia para muchos jóvenes que se identificaban con mi historia de vida y mi gran nivel de resiliencia. Para muchos, ya no era la enferma, la rara. El típico saludo de "¿qué tienes hoy?" comenzó a ser sustituido por "te ves muy bien".

—Ana, me encanta verte tan radiante —dijo con alegría una de mis hermanas de fe.

—Me alegra que me vean distinta, que se me note —respondí.

—En verdad, lo que menos parece es que tengas alguna condición de salud —aseguraban.

—Gracias, que tengas lindo día.

—Tú, también.

El diagnóstico no esperado

"Cuando menos lo esperamos, la vida nos coloca delante un desafío que pone a prueba nuestro coraje y nuestra voluntad de cambio".
Paulo Coelho

La mente es tan poderosa que me estaba creyendo que todos tenían razón al decir que yo no tenía nada. Aunque mi cuerpo con sutileza me decía todo lo contrario, prefería no hacerle caso.

Mi vida por fin comenzaba a fluir. En esa época, 2007, para ser exactos, me gradué con honores de la carrera de Comunicación Social, mención Periodismo, en la Universidad Autónoma de Santo Domingo. También me certifiqué como locutora profesional.

Dos años después, comencé a trabajar como correctora de estilo en el periódico más antiguo y de circulación nacional de mi ciudad natal. A la vez, trabajaba como periodista en otro periódico vespertino del mismo dueño. Así me convertí en la proveedora principal de mi familia.

Me adentré en tantas actividades, como el taller literario, grupo pastorales, trabajo y quehaceres domésticos que mi cuerpo comenzó a gritarme más alto y esta vez, por más que quise callar y pensar que todo era producto del estrés, no pude.

El fantasma de los malestares desagradables volvió con fuerza. En cada mareo, náusea, dolor abdominal y muscular, me recordaba que no era más que una ilusión considerarme sana.

Era notable el sudor en mis manos, la pérdida de cabello y la palidez en mi piel. La falta de sueño me mantenía agotada y comencé a notar que estaba olvidando con frecuencia las cosas.

Consideraba que, a lo mejor, las tantas ocupaciones me tenían así, que con descanso se me pasaría. Pero, al darme cuenta de que por más que descansaba no mejoraba y que estaba sintiéndome como en mi niñez y adolescencia, decidí ir al médico con la certeza de que otra vez tenía anemia.

En mi peregrinación en la búsqueda de un diagnóstico, de nuevo, escuché el "no tienes nada" que tanta desilusión e impotencia me causaba.

El médico internista que visité me dijo en un tono poco cortés:

—Señorita, sus resultados están perfectos.

—¿Perfectos? Pero si me siento pésimo doctor, algo tengo —insistí

—¿Trabaja mucho?

—Bastante, llevo dos trabajos.

—Debe estar estresada, con descanso se le pasa.

—Como usted diga, gracias —dije mientras me retiraba.

Esta conversación me produjo mucha angustia y en un minuto sentí todas las emociones que me provocó cuando en aquel entonces me llamaron hipocondríaca.

—"¡Otra vez lo mismo!". "¡No lo soporto!" —Exclamé.

No me quedó otra opción que seguir el curso de mi vida. Tenía días buenos, otros no tantos. En mis días grises me sudaban las manos y los pies, y orinar con demasiada frecuencia se estaba tornando desagradable y preocupante, por lo que decidí ir donde otro especialista a ver qué respuesta me daba.

Luego de una serie de analíticas, la doctora me comunicó que mi hemoglobina y el nivel de azúcar en la sangre estaban bajos, que por eso los mareos, debilidad y demás síntomas.

—¿Doctora, por qué se me hace difícil mantener mi hemoglobina estable?

—Porque no absorbes el hierro y de seguro descuidas tu alimentación. Vamos a ponerte hierro intravenoso y trata de consumir alimentos te lo aporten.

—Claro, si con esto estaré mejor, lo haré.

En esta ocasión me fui tranquila a casa. "Saber" lo que me estaba pasando me daba mucha paz.

Entre síntomas, tratamientos y ocupaciones pasaron unos dos años. Recuerdo que, para inicios del año 2013, tenía previsto iniciar una maestría, escribir un libro de poemas y aplicar para un mejor trabajo. Con lo que no contaba era que en enero de ese año la vida, Dios, tenían otros planes para mí.

Una noche, estando en mi trabajo, comencé a sentirme muy mareada, sudaba y el dolor de cabeza era más fuerte que lo acostumbrado. Detuve lo que estaba haciendo y respiré profundo esperando que se me pasara. Pero, al transcurrir los minutos me sentía peor. Veía borroso. Asustada, pedí auxilio a mi compañera, quien estaba en una oficina contigua.

—Cari, ¿Qué tienes?, estás blanquita y fría —expresó preocupada.

—No sé, de repente me puse mal. ¡Corre!, dame algo dulce. Debe ser la azúcar bajita.

—Cómete esta menta, mientras te preparo un agua de azúcar con sal.

El tiempo transcurrido entre comerme la menta y que ella regresara con el remedio, me pareció un año de lo mal que me sentía.

—Tómatela, te hará sentir mejor —al tocarme se dio cuenta de que estaba temblorosa— !Oh, Dios! Cari, estás fría y temblando. Creo hay que llevarte a la emergencia.

—Sí, por favor, llévame. Siento que me muero.

De inmediato, mi compañera, comunicó a nuestro jefe la situación. Este, al verme tan mal ordenó:

—Rápido, ve con unos de los muchachos y llévenla a la emergencia, comunica a sus familiares y me avisan lo que suceda.

Ese día, la expresión "nadie llega a tu vida por coincidencia", cobró sentido.

En el camino, recordé que en el grupo de la iglesia que yo coordinaba, participaba una doctora con la que había hecho mucha empatía y que trabajaba en una clínica muy cercana a mi oficina. Le dije a mi amiga me llevara a ese centro de salud y preguntara por ella. Como regalo divino, ella aún se encontraba en su consultorio. Examinaba al último paciente para irse a su casa. No pasaron 10 minutos de que se le comunicara lo que me pasaba, cuando ya me estaba atendiendo.

Fue un episodio tan desagradable, recuerdo. Me canalizaron de inmediato. Me realizaron estudios del corazón y radiografía en la cabeza. Esta es la fecha que tengo grabada las caras de preocupación de las enfermeras que por más que intentaron, no pudieron dar con una vena para sacarme sangre.

La doctora optó por hacerlo y con expresión de "te va a doler" me dijo:

—Ana, sentirás un dolor muy fuerte y se te va a inflamar la muñeca. No encontramos tus venas y tendré que sacar sangre de una arteria. Respira profundo.

Llorando y asustada por no entender lo que sucedía respondí:

—Haz lo que tengas que hacer, yo aguanto.

Mi grito se escuchó en toda la sala, jamás un procedimiento me había causado tanto dolor. No imaginaba que sería el primero de muchos.

Mi madre estaba muy nerviosa. Creo que desde mi gravedad al nacer no me había visto así de mal. Suerte que mi mejor amigo se encontraba presente y la calmaba asegurándole que todo estaría bien.

Los medicamentos que me suministraron me mejoraron muy poco. La doctora expresó que por el cuadro que estaba presentando era muy rápido para dar un diagnóstico. Ameritaba hacerme pruebas más profundas y mandar a analizar algunas fuera del país.

Sospeché que estaba muy cerca de saber qué era lo que por tantos años me ocasionaba estar enferma. Mi alma sabía no sería bueno.

Cada día que pasaba, me sentía peor, más la agonía de esperar tres semanas para que mandaran de Estados Unidos los resultados era como una pesadilla.

Me hacía sentir frustrada y triste no entender cómo de repente no podía ni peinarme, porque me dolía. No sabía lo que era conciliar el sueño y seguía perdiendo peso.

Me chocaba que eran más frecuentes mis lapsos mentales. A veces no podía recordar con claridad ni el nombre de mis familiares cercanos.

Un día, deseaba hablar con una de mis mejores amigas. Tomé el celular para llamarla. Fue tan desagradable; yo sabía a quién quería llamar, pero mi mente no.

—¡Ay, Ana Carina, qué es esto, qué es lo que te pasa! Vamos, recuerda.

Por más que pensé y pensé, no pude recordar ni llamar. Lloré y no lo comenté.

Contaba los días para saber los resultados de mis estudios. Necesitaba una respuesta, una ayuda que me permitiera tener una vida digna.

Mientras, yo seguía experimentando sucesos desagradables.

—Mami, quiero ir al baño, pero no puedo pararme

—¿Cómo que no puedes pararte? Ya voy.

—Qué me pasa, no tengo fuerzas en los pies.

—Ven, agárrate de mí. Tranquila, mi hija. Yo te ayudo.

Fue tan espantoso necesitar apoyarme en mi madre para poder caminar, que tan solo con recordarlo me quebranto.

Por fin llegó el día de saber los resultados. Los nervios me tenían paralizada, ni el agua me pasaba.

—Dígame, qué es lo que tiene Carina —Fue el saludo desesperado de mi madre

—Bueno, las pruebas salieron todas normales.

—¿Normales? —dijimos mi madre y yo al mismo tiempo.

—Sí, descartamos todas las posibles patologías relacionadas con el cuadro que presentas. Gracias a Dios diste negativo a todas.

—Entonces, ¿qué carajo es lo que tengo? Porque, mental no es.

—Por descarte y basada en tus síntomas concluyo que padeces de fibromialgia.

— ¿Fibro qué? Qué es eso. Nunca había escuchado esa palabra.

Si yo no entendía, mi mamá menos.

—Te explico, Ana. La fibromialgia es una enfermedad de reumatismo no articular caracterizada por un cuadro de dolor crónico generalizado desconocido como el que tú presentas, donde no existen otras enfermedades que lo expliquen.

—¿Por eso todas las pruebas que me hacen salen bien?

—Sí, y si el especialista desconoce esta enfermedad y no sabe diagnosticarla dirá que es hipocondría.

—Mi hija ha tenido razón. Lo que ha sentido durante tantos años no es producto de su mente —dijo mi madre aliviada

—Exacto. También quienes sufren de fibromialgia pueden presentar fatiga, síndrome de la vejiga y del colon irritable. Por eso, tus problemas de orina y gastrointestinales, dolor de cabeza, problemas con la memoria...

—¡Dios, ya entiendo por qué estoy olvidando cosas simples!

—Sí, se le conoce como fibroniebla.

—Muchos de los pacientes cursan cuadros de depresión y ansiedad, así como insomnio, menstruación dolorosa, sensibilidad al frío, entumecimiento, mareos y otros síntomas que irás reconociendo.

Por unos segundos las tres hicimos silencio. Mi madre pasaba su mano por mi espalda y la doctora trataba de que yo asumiera esto de la mejor manera posible.

—Tienen que saber que hasta el momento no hay una cura, pero con medicamentos, terapias, cambio en el estilo de vida se puede tener mejor calidad de vida.

Por más que me explicó y me animó, mi mente estaba en *shock* tratando de asimilar lo que me esperaba. En pocas palabras, me estaba diciendo que tenía que aprender a vivir con esto.

—Pero mi hija está muy mal, ¿Cómo irá a trabajar?

—Claro que por el momento no puede laborar. Le daré una licencia de un mes. Si en ese tiempo no se puede incorporar, la extendemos. Ahora lo que importa es su salud.

—Gracias, amiga, por ayudarme a ponerle nombre a tanta incomprensión y sufrir.

—Tú puedes. Estarás mejor. Te veo en una semana.

Camino a casa me cuestionaba: Si no mejoro, ¿Cómo estaré en unos años? ¿Será costoso el tratamiento? ¿Quién suplirá mis necesidades?

Qué equivocada estaba al pensar que cuando le pusieran un nombre a lo que me pasaba me sentiría feliz y en paz. Fue todo lo contrario. La incertidumbre, el desánimo y la tristeza se anidaron en mí tan fuerte, que mi mayor deseo era que Dios me llevara con Él.

Agarré una caja de mis pastillas. Leí sus efectos secundarios y por un momento me dije: ¿Y si te las tomas todas? Con ellas en mis manos, comencé a recitar el poema de la íntima agonía, de Julia de Burgos:

"Este corazón mío, tan abierto y tan simple,
es ya casi una fuente debajo de mi llanto.
Es un dolor sentado más allá de la muerte.
Un dolor esperando... Esperando... Esperando...
Todas las horas pasan con la muerte en los hombros.
Yo sola sigo quieta, con mi sombra en los brazos.
No me cesa en los ojos de golpear el crepúsculo,
ni me tumba la vida como un árbol cansado.
Este corazón mío, que ni él mismo se oye,
que ni él mismo se siente de tan mudo y tan largo.
¡Cuántas veces lo he visto por las sendas inútiles
recogiendo espejismos, como un lago estrellado!
es un dolor sentado más allá de la muerte,
dolor hecho de espigas y sueños desbandados.
Creyéndome gaviota, verme partido el vuelo,
dándome a las estrellas, encontrarme en los charcos.
¡Yo que siempre creí desnudarme la angustia
con solo echar mi alma a girar con los astros!

¡Oh, mi dolor, sentado más allá de la muerte!

¡Este corazón mío, tan abierto y tan largo!

Las lágrimas mojaban mi almohada. Me paré a buscar agua y de repente un sonido cambió el panorama…

La búsqueda de culpables

"No intentes jamás curar el cuerpo sin antes haber curado el alma".
Hipócrates

Mi celular no paraba de sonar. Era un buen amigo quien al parecer fue utilizado como instrumento divino para que los pensamientos negativos que me atormentaban perdieran fuerzas. Su llamada fue breve, pero era justo lo que necesitaba escuchar.

— Dios te bendiga, Ana. ¿Cómo te sientes?

— Hola, sinceramente, no sé decirte cómo me siento. Hoy me dieron los resultados, pero no quiero hablar de eso.

—Tranquila, cuando quieras compartirlo, me hablas.

—Gracias.

—Solo quería recordarte lo que me dijiste una vez: "Nunca está más oscuro que cuando va a amanecer". Dios tiene el control. Te dejo descansar. Buenas noches.

—Muy oportunas tus palabras. Gracias. Buenas noches.

Su mensaje me dio paz. Dormí mejor esa noche. Pero, lo que no pude fue dejar de buscar el hecho que me llevó a ser diagnosticada con fibromialgia, "la amiga invisible", como muchos la llaman.

Me resultaba más fácil asumir el papel de víctima que aceptar la situación. Amparada en que esta enfermedad la puede producir un trauma físico o emocional, comencé a identificar a los que yo consideraba culpables de mi dolor.

En las horas de autocastigo mental, me contaba la historia de que el abandono de mi padre era uno de los detonantes para que yo enfermara. Saber que mandó dinero a mi madre para que me abortara y negara su paternidad, provocó en mí una herida que por largos años influyó en mi estado de ánimo y en la manera de relacionarme con los demás.

Este hecho me hizo ser dependiente emocional, generando vacío, tristezas no expresadas y soledad, llevándome a la falsa creencia de que el amor y la atención recibidos por los demás no eran suficientes.

—Sí, estoy convencida de que tanto sufrimiento por la falta de mi papá influyó para que yo esté viviendo este infierno- pensaba.

Pero mi progenitor no era el único al que yo responsabilizaba. Le seguían mis hermanos. Uno de ellos me rechazó desde mi nacimiento ya que entendía que le robé su espacio al nacer.

La violencia psicológica recibida por él me mantenía con un estrés constante. Era tanto el miedo que le tenía, que no podía dormir pensando que me haría daño si lo hacía. Hay una discusión en particular que recuerdo.

—No sé para qué naciste. Debí dejarte morir el día que te estabas asfixiando en la cuna. —dijo en tono airado.

—Eso hubiera preferido y no todo tu maltrato.

—Mejor cállate. Ya verás lo que te va a pasar a ti.

—¿Qué, me vas a matar? Es lo que insinúas siempre —respondí desafiante.

—¿Es que no se van a callar? —vociferó molesta mi madre.

Estas polémicas constantes aumentaban en mí los sentimientos de rechazo, abandono, tristeza e impotencia.

Mi otro hermano, por mucho tiempo mantuvo económicamente a mi madre. De repente, sin dar razón se desentendió de ella. Pasaban semanas sin ni siquiera llamarla. Ella sufría su ausencia.

—Prefiero escucharlo a que me mande dinero —expresaba mi madre con tristeza.

El que me maltrataba tampoco contribuía, aunque tuviera la intención. Su psiquiatra nos dijo que su conducta sería como la de un niño grande, sin compromiso. Por lo que con todo y padecimiento tuve que hacerme cargo.

Este hecho me hacía sentir abusada y obligada a sacar fuerzas de donde no las tenía para trabajar y poder suplir nuestras necesidades. Me irritaba y me avergonzaba cuando algunos cercanos expresaban indignación ante el hecho de que, siendo tres hermanos, yo la menor y enferma asumía todas las responsabilidades cuando lo que necesitaba era ayuda.

Indirectamente reclamaba a mi mamá el haberse embarazado de mí a los cuarenta y tres años. En mi cabeza resonaba la idea de que los hijos de personas "pasadas de edad" eran más propensos a enfermarse. Constantemente le decía "no sé para qué me tuviste. Nací para sufrir"

—No digas eso. Tú eres una bendición —respondía amorosamente, buscando desviar mi atención de lo que yo consideraba la razón de mi desgracia.

—Seguro el paro cardiaco que te dio al momento de mi nacimiento me afectó. Debieron elegir tu vida cuando el médico preguntó que a cuál de las dos salvaba.

—Pero Dios nos dejó viva a ambas. Él te va a sanar. Se lo pido a San Judas todos los días.

—Ojalá te escuche —respondí resignada.

El desamor fue el detonante de mi debut como paciente con fibromialgia. El año anterior a mi diagnóstico fue de las muchas emociones encontradas producto del desconcierto que me causó una amistad con el que consideré mi amor platónico. Nuestra conexión fue bonita y espontánea. Su presencia me generaba paz, ilusión, alegría.

Compartíamos los mismos valores. Teníamos una hora especial para orar el uno por el otro: 11:00 p. m. ¿Cómo olvidarlo? Era un trato tan especial que yo le llamaba sol y él decía que me reflejaba en la luna.

Nuestros amigos aseguraban que éramos novios o que estábamos enamorados; sentimiento que ninguno de los dos reconocía. Cuando sentí que el trato iba más allá que el de unos amigos y que el sentimiento me estaba dominando, me cuestioné y acepté mi amor por él.

Una tarde, mientras compartíamos un helado le dije que quería leerle una carta que le escribí. En ella le confesaba mis sentimientos y todo lo que él significaba para mí.

Cuando concluí la lectura me dijo:

—Eres demasiado especial para mí. Nunca me había pasado esto, pero lo nuestro no es enamoramiento.

—¿Qué es entonces? —pregunté entre inquieta y decepcionada.

—Una amistad fuera de este mundo.

Esa respuesta fue muy frustrante para mí y me generó mucha confusión.

Luego de un silencio prolongado, concluimos que, para no dañarnos, lo mejor era alejarnos y así lo hicimos.

Sufrí tanto la ruptura que el pensar repetidamente en lo mismo me causó ansiedad. Creo somaticé toda mi tristeza, pues días posteriores me puse mal en el periódico.

Meses después de estar alejada del chico, una llamada volvió a darme esperanza. Esta vez me contactó, desde el extranjero, un amigo que el día que nos conocimos ambos sentimos como si nos conociéramos de otra vida.

Pese a que tenía años sin saber de él, con frecuencia lo pensaba y oraba para que estuviera bien con la esperanza de volverlo a ver.

Su llamada, que se volvió costumbre, me dio mucha alegría. Mi alma comenzó a intuir que terminaríamos en una relación amorosa y así fue.

—Corazón, ¿qué somos tú y yo? —pregunté entusiasmada.

—¡Oh! somos enamorados. Entre amigos no pasan estas cosas.

Me sentí la mujer más dichosa. Sin imaginar que tanto encantamiento se convertiría en sufrimiento. La magia duró poco. Luego, me di cuenta de que era un mujeriego. Su ego era tal que decía: "Dichosa la mujer que está conmigo más de una vez. Es un rato y ya".

Era racista. Como yo soy negra, resaltaba a cada momento que las mujeres blancas eran sus preferidas; haciéndome sentir que estaba conmigo porque me consideraba su amuleto de buena suerte.

—Negra, tú eres mi ángel. Tenerte en mi vida hace que todo me salga muy bien —decía.

Digamos que yo le daba suerte y el me hacía creer que me quería, y los dos en paz. Al vivir en el extranjero era llevadero su juego. Me costó reconocer que amaba a un hombre que me veía como un objeto donde por no sentirme abandonada, hice de su salvadora. Pensaba que con mi amor lo cambiaría.

Preferí las migajas, el maltrato psicológico, el chantaje, la manipulación y poner por el suelo mi dignidad. Prefería eso a nada, pues inconscientemente buscaba en él el cariño paterno que nunca tuve.

Las emociones fuertes y el estrés son una bomba para los fibromiálgicos. Esta mezcla de situaciones y emociones consumían lentamente mi esencia y me provocaban crisis muy frecuentes.

Era muy chocante para mí que el amor, lo que debió ser mi medicina, mi fuente de bienestar, se convirtiera en un generador de tristezas que luego se traducían en crisis.

Así lo plasmó Benedetti en su poema *Enamorarse y no.*

Cuando uno se enamora, las cuadrillas
del tiempo hacen escala en el olvido
la desdicha se llena de milagros
el miedo se convierte en osadía
y la muerte no sale de su cueva.
Enamorarse es un presagio gratis
una ventana abierta al árbol nuevo
una proeza de los sentimientos
una bonanza casi insoportable
y un ejercicio contra el infortunio
por el contrario, desenamorarse
es ver el cuerpo como es y no
como la otra mirada lo inventaba
es regresar más pobre al viejo enigma
y dar con la tristeza en el espejo.

Un veintitrés de diciembre, después de días distantes, me llamó para decirme que tenía que contarme algo importante.

El sobresalto en mi estómago me alertó de que no sería nada bueno.

—Dime, ¿qué pasó? —pregunté con miedo a escuchar la respuesta.

—Quiero que me entiendas. No mereces que te mienta.

—No me digas que es lo pienso —le dije llorando.

—Volví con la madre de mis hijos —Dijo tras una pausa.

Quedé sin palabras. Lloraba. Sentía me faltaba el aire.

—Sé cómo te sientes, pero lo hice pensando en mis hijos. Tú siempre contarás conmigo.

—Hazte de cuenta que me morí. No quiero nada de ti. No me vuelvas a buscar. Cerré el teléfono y lloré con desesperación.

Me impresionó tanto lo que me dijo, que mi cuerpo colapsó y pasé la Nochebuena del año 2014 en la sala de emergencia con oxígeno y suero puesto. Ese fue su regalo de Navidad.

Aceptando el diagnóstico

"Señor, concédeme serenidad para aceptar todo aquello que no puedo cambiar, valor para cambiar lo que soy capaz de cambiar y sabiduría para entender la diferencia"
Reinhold Niebuhr

En la fibromialgia, como en cualquier otra patología, la aceptación, fluir con lo que acontece, es el inicio del real proceso de sanación. Según el artículo *Dolor agudo, dolor crónico*, del blog Ehlers Danlos, la aceptación va encaminada a tolerar una situación, saber que la vida es así y no todo puede ser bueno, pero inclinándose hacia la acción: "Se puede convivir con esa situación desagradable sin que eso cause un malestar exagerado. A pesar de vivir bajo una circunstancia que no nos gusta, se logra centrar el interés y el foco de atención hacia otras áreas, se intentan abrir nuevas puertas" (2014).

Este texto, que me fue útil en mi proceso de aceptación, también resalta diferentes puntos de vista de este valor.

Aceptación es dejar de hacer todo lo que no sirve: desmontar los círculos viciosos y potenciar el tratamiento médico adecuado. Es abrirnos a experimentar los sucesos y las sensaciones completamente, plenamente y en el presente, como son y no como queremos que sean.

Aceptar, es tomar conciencia de las limitaciones que conlleva el dolor crónico. Es seguir haciendo aquello para lo que valemos de acuerdo con nuestras capacidades, aunque esto signifique que tenemos que adecuar nuestras metas a nuestras capacidades limitadas por un dolor crónico.

No es quedarse con el sufrimiento que se tiene, la aceptación disminuye el sufrimiento e incluso inicia el proceso psicofisiológico de la habituación, por el que el dolor se hace más tolerable, porque nos habituamos a él.

Habituándonos a las sensaciones, disminuye la ansiedad, el miedo y la depresión, pues tendremos menos sensaciones asociadas al dolor y continuaremos comprometidos con un nuevo papel social con valores propios.

Cuando asimilé que la fibromialgia me acompañaría siempre, pero que mi actitud mandaba en ella, dejé de verla como una enemiga que vino a robarme la vida. Le di su espacio. Aprendí a vivir con ella.

Una tarde, mientras me miraba en el espejo le dije:
—No voy a pelear contigo. Tampoco te haré invisible. Un día a la vez, así viviré.

Adoptar otra postura hizo mi carga más llevadera, pero no impidió que presentara crisis muy fuertes y diarias. Me costaba bastante concentrarme en el trabajo y el tener que durar tantas horas sentada ante un ordenador era una tortura.

La fibroniebla apostaba a que yo renunciara, pues no era la primera vez que no sabía ni cómo darle a guardar a los documentos corregidos. Gracias a mi proceso de adaptación, no entré en un estado de ansiedad: -Esto también pasará, Ana Carina- me decía.

En vez de preocuparme, decidí ocuparme en modificar patrones en mi estilo de vida que me generaban estrés y en consecuencia estos episodios. Dejé de acumular tareas. Resolvía las situaciones según se presentaban y hasta donde podía. Comencé a decir no a invitaciones a fiestas cuando sabía que mi organismo no estaba equilibrado, aunque me catalogaran de aburrida. Una noche en tacones y trasnochada equivalía a una semana en cama.

Paulatinamente, fui sustituyendo la soda por agua o jugo y los dulces por alguna fruta. También fui identificando y dejando los alimentos que irritaban mi colon. Otra de las acciones que me ayudó a aceptar lo que tenía, fue cambiar mi vocabulario pesimista por uno de palabras positivas y de comprensión.

- "Esto es una pesadilla", lo cambié por "es un proceso de crecimiento".

- "¿Por qué a mí?" lo cambié por "¿Para qué a mí?"
- "¿Qué estaré pagando?" por "¿Qué tengo que aprender de esto?"

Dedicar más tiempo a la oración me sirvió bastante.

El Salmos, 27 era como mi vitamina:

"El Señor es mi luz y mi salvación, ¿a quién temeré? El Señor es la defensa de mi vida, ¿quién me hará temblar?

Cuando me asaltan los malvados para devorar mi carne, ellos, enemigos y adversarios, tropiezan y caen.

Si un ejército acampa contra mí, mi corazón no tiembla; si me declaran la guerra, me siento tranquilo.

Una cosa pido al Señor, eso buscaré: habitar en la casa del Señor por los días de mi vida; gozar de la dulzura del Señor, contemplando su templo.

Él me protegerá en su tienda el día del peligro; me esconderá en lo escondido de su morada, me alzará sobre la roca.

Y así levantaré la cabeza sobre el enemigo que me cerca; en su tienda sacrificaré sacrificios de aclamación: cantaré tocaré para el Señor.

Escúchame, Señor, que te llamo; ten piedad, respóndeme.

Oigo en mi corazón: «Buscad mi rostro». Tu rostro buscaré, Señor.

No me escondas tu rostro. No rechaces con ira a tu siervo, que tú eres mi auxilio; no me deseches, no me abandones, Dios de mi salvación.

Si mi padre y mi madre me abandonan, el Señor me recogerá"
(Sl 27: 1-10 Biblia Latinoamericana)

Mi corazón volvió a llenarse de esperanza y mi deseo de sobreponerme era cada vez más grande.

El día en que podía parame de la cama, comer a gusto o dar un paseo, lo disfrutaba al máximo. Los que no, los sobrellevaba positivamente. En vez de quejarme, agradecía estar viva, escuchaba música, meditaba y hablaba con mis amigos hasta donde el dolor me lo permitía.

Mi vida de fe comenzaba a ser coherente. No era lo mismo decirles a los jóvenes que coordinaba "hay que mantener la vista en Dios, aunque no podamos más" y cuando la situación se volvía inaguantable desear no existir, a asumir con una buena actitud las pruebas, a pesar del dolor sentir paz y seguir adelante.

Una invitación daría paso a mi mejor temporada. Como dice el proverbio zen: “Cuando está listo el alumno, aparece el maestro”.

Buscando sanidad integral

"Este momento es sagrado, ahora estoy lista, dispuesta y capaz de abrazar a mi niño interior... Todo está bien."
Louise L Hay

En mi alma había nacido la inquietud de sanar mi interior y fue justo en un *spa* espiritual donde comencé a aceptar que mis circunstancias físicas estaban relacionadas a mis heridas de la infancia.

Me animé a que me realizarán una Constelación Familiar. Una técnica creada por Bert Hellinger, que se basa en el análisis multigeneracional para acercarnos a los problemas que vivimos derivando en la Terapia Sistémica.

Hellinger, entendía que nuestros sentimientos, comportamientos y síntomas no están vinculados a nuestra historia personal, sino que tienen su origen en una lealtad familiar que quiere que una generación reanude los conflictos no regulados de las generaciones anteriores.

Las Constelaciones Familiares permiten dar luz sobre estos conflictos y repararlos para liberar a los que los llevan.

El movimiento interno que produjo la terapia me ayudó a reconocer cuál era mi lugar dentro del clan familiar, y que en mí habitaba una niña herida, clamando ser sanada y liberada de las lealtades familiares de sufrimiento.

Herramientas como la meditación, la oración, el uso de afirmaciones y la técnica del Ho'oponopono me ayudaron en el proceso. El Ho'oponopono es un sistema de sanación hawaiano, basado en la repetición de ciertas frases, como si fuera un mantra.

"Lo siento", "perdóname", "gracias", "te amo", son las frases más conocidas de esta técnica. Sirven para mejorar conflictos con otros. Apuntan a borrar la memoria que nos llevó a esta situación.

Otras expresiones que aún me repito y que han sido bálsamo para mi alma y cuerpo son:

- ✓ Eres importante para mí.
- ✓ Eres única.
- ✓ Es válido que sientas miedo.
- ✓ Está permitido decir no.

- ✓ Puedes cuidarte a ti misma.
- ✓ Naciste para ser feliz.
- ✓ Esto también pasará.
- ✓ Dios tiene el control.
- ✓ Todo obra para bien.
- ✓ Soy una con la divinidad.
- ✓ No te dejes para después.
- ✓ Un día a la vez.

Las visitas al Santísimo Sacramento fueron vitales en mi regeneración. Me bastaba contemplarlo para sentir paz, claridad en mis pensamientos y dirección en mi actuar.

Mis oraciones estaban más enfocadas en contemplar y agradecer que en pedir. Podía pasar horas conversando con el creador sin distracción. Hábito que me hacía sentir en paz, pertenecida, amada y con una fe fuerte y auténtica.

El cambio en la alimentación puso el punto en mi búsqueda de la sanidad integral. Empecé a comer con conciencia de que lo ingerido influía en mi bienestar físico. Como lo expresa la naturópata Pamela Bernal: “En la digestión se encuentra gran parte de los orígenes de la salud o la enfermedad”. Resalta que la impermeabilidad intestinal puede llegar a estar muy asociada al dolor físico. Esto porque el paso de sustancias indebidas por las paredes intestinales provoca que dichas sustancias lleguen a la sangre sin ser procesadas, lo que causa inflamación y a su vez dolor.

Mis síntomas gastrointestinales disminuyeron notablemente haciendo cinco comidas al día, y dejando de consumir cereales refinados, azúcares, alcohol, productos con gluten, las harinas y lácteos. Incluí a mi dieta alimentos que aportan triptófano como nueces, dátiles, plátanos y calabaza. Estos ayudan a disminuir el dolor. Las frutas y verduras frescas, prebióticos, legumbres dan su aporte en fibra y vitaminas, necesarias para aumentar los niveles de inmunidad y disminuir la inflamación.

De los pasos más importantes que di, fue tomar la decisión de renunciar a uno de los dos trabajos que llevaba. No valía de nada ganar más dinero y no tener salud. Tenía que elegir entre lo económico y mi bienestar. Me elegí a mí y no me arrepiento.

En esa etapa, renació el deseo de vivir intensamente, construir la vida deseada y vivir con propósito. De ese anhelo surgió el deseo de escribir este poema.

Deseo

Comer

Joder

Revolotearme en el lodo

De las impurezas,

Quebrar las cadenas.

Ser yo

Dormitar en las aguas

Despertar con el aura.

Aullar en silencio

Galopar en los recuerdos…

Huir

Olvidando la vuelta.

Recaída

"A menudo, cuando piensas que estás al final de algo, estás al comienzo de otra cosa".

Fred Rogers

Emprendí vuelo a los Estados Unidos en busca de un mejor servicio de salud y calidad de vida. Esta travesía pondría a prueba una vez más mi nivel de resiliencia y crecimiento espiritual.

Cuando me entregaron la residencia norteamericana, se me dio seis meses para salir del país; tiempo prudente para organizarme.

Era tanta la prisa por salir del círculo de vida que llevaba que no esperé ese tiempo. Llamé a una prima un lunes para que me hiciera el favor de recibirme en su casa esa misma semana. Suerte que me dijo que sí.

Un sábado 16 de abril de 2016, dije adiós a mi tierra. Con 100 dólares en la cartera y con la esperanza de que todo sería diferente, llegué a la ciudad de Nueva York.

Era un día lluvioso y frío. El malestar en mi cuerpo me alertó de lo que me esperaba con el clima.

—El dolor y el cansancio que siento deben ser por el estrés del viaje. Ya se me pasará- pensé con temor a que fuera una crisis.

Me sentí acogida y agradecida de que me dieran posada en ese hogar. Me recibieron con mucho amor y me ayudaron en el proceso de adaptación. Pasados los días, comencé a sentirme incómoda, triste e impotente porque entré en una crisis. Me la pasaba entre médicos y la emergencia del hospital.

Hacía mi mayor esfuerzo por no estar en la cama, ayudar con los quehaceres del hogar y encontrar un trabajo apto para mi condición. Me sentía como una carga y que, quizás, al ellas no entender que me viera bien y sentirme tan mal, me tildaran de vaga.

Una mañana, estaba tan, pero tan mal, que pedí que me llamaran una ambulancia y la reacción de una de mis primas fue lo que más dolor me causó.

—Por favor, llama al 911. No puedo ni respirar- dije llorando a una de las primas.

En ese momento llamó su hija, mi otra prima, le contó lo que pasaba y esta, sin saber que se escuchaba la conversación, le dijo:

—No sé a qué vino para acá. Si estaba enferma ha debido quedarse en Santo Domingo. Aquí nunca se ha llamado una ambulancia.

Esas expresiones suscitaron en mí el deseo de irme para mi casa. Deseaba que me tragara la tierra.

—Ella tiene razón; no sé a qué vine, a causar problemas- pensé.

Controlada la crisis, seguí buscando empleo. Encontré uno en una tienda, pero cuando le mostré al *manager* los días que necesitaba para ir al médico, me dijo que lamentablemente no me presentara a trabajar. Este hecho me impulsó a ponerle más empeño a la búsqueda y terminé trabajando como periodista en un periódico mexicano.

Fue una bendición. Yo manejaba mi tiempo. Me pagaban por escrito, así que el día que no podía levantarme, no me estresaba. Y el dinero que ganaba me permitió arreglar todo para que mi madre volviera a los Estados Unidos.

Renté una habitación para ambas, un tanto chocante para mí que vivía con todas las comodidades. Pero, era lo que, por el momento, en una ciudad tan costosa como New York, podía pagar.

Todo comenzó a fluir. Encontré otro trabajo en un *call center* a una hora de donde vivía. Mi madre con 78 años y sus problemas de salud, todavía se valía por sí misma, me cocinaba, me daba masajes y me atendía en mis días de crisis.

Todo fluía. La vida parecía sonreírme, hasta que una mala práctica médica cambió el curso de la historia.

De cuidada a cuidadora

"Se supone que los desafíos de la vida no están para paralizarte; están para ayudarte a descubrir quién eres".
Bernice Johnson Reagon.

Tras sufrir tres infartos, un paro cardiaco, colocársele tres *stens* en el corazón, alta presión y desviación en la columna, mi madre se enfrentaba al glaucoma y la catarata.

La oculista aseguró que con una cirugía se podían frenar los daños y mantener la visión. Confiadas, dijimos que sí, sin sospechar que en esa intervención perdería para siempre la visión del ojo izquierdo.

Los malos resultados se los adjudicaron a que la presión del ojo se elevó bastante al momento de la práctica. Esto dañó el nervio y causó la ceguera. Esta conclusión no nos convenció. Coincidimos con varios pacientes que fueron operados esa semana y que tampoco obtuvieron buenos resultados. Además, se comentaba, que, en el pasado, la doctora había sido demandada por mala práctica médica.

Al año, el ojo derecho comenzó a presentar problemas. Decidí llevarla a otro especialista quien dijo que si no la operábamos quedaría ciega. El glaucoma terminaría con el 25 % de visión que le quedaba.

La salud de mi madre comenzó a empeorar, igual que mi estrés y crisis. Tuve que dejar de lado todos mis proyectos y dedicarme a cuidarla.

Hay acciones que solo se hacen por amor. Días sin dormir, vida social casi nula. Agotamiento, dolores extremos y la tristeza e impotencia causada por ver a mi mamá con episodios de demencia.

Llegan a mi mente esos días donde mis malestares apenas me dejaban respirar y aun así tenía que sacar fuerzas, levantarme, llenarme de amor, paciencia y cuidarla. A sus 80 años y con su condición de salud, se volvió dependiente de mí para todo.

—¿Dónde está Carina? —preguntó mi madre confundida.

—Yo soy Carina, mami —le dije llena de tristeza.

—Carina, la mía —insistía ella.

— Viene ahora. No te desesperes —dije para calmarla.

—¡Dios mío, dame fuerzas para aguantar esto! No me dejes colapsar, mi madre me necesita —imploraba todos los días al Creador.

Cuando creí haberlo experimentado todo, llegó otro enemigo invisible, el covid-19.

La muerte, incertidumbre, tristeza y miedo apagaron a la ciudad que nunca duerme. Las sirenas constantes de las ambulancias nos mantenían en vilo. El encierro, estar en medio de una crisis con mi madre enferma, lejos de los seres queridos y las noticias que reportaban más de 900 muertes diarias, disparó nuestros niveles de ansiedad y los episodios de demencia de mi madre.

Un mes antes de declarar el brote del virus, mami presentaba una tos constante, malestar general y yo tenía mi cuerpo descompensado.

Nunca había experimentado ese grado de dolor. Lloraba, dupliqué la dosis de mi medicina, no mejoraba y no sabía cómo controlar a mi mamá.

—Oye la ambulancia, eso es más muertos. A mí no me lleve para el hospital. No voy para allá, me matan —repetía ella constantemente aterrada.

No pude aguantar más los malestares y verla a ella desmejorada. Llamé al 911.

—No tienen fiebre. Los signos vitales y la presión de la señora están bien. ¿Quieren ir al hospital?

—No -respondimos al unísono.

—Traten de descansar. Usted tiene la misma gripe que ella. Como la cuida y duermen juntas, es lógico que se enfermara —me respondió.

—Gracias y cuídense ustedes también —le dije aliviada al no tener que ir al centro hospitalario.

El agotamiento físico mental era tal, que llegué a dejar la hornilla de la estufa abierta, poner la basura a cocinar y los alimentos en el zafacón.

Pasaban los días y la tos de mami no mejoraba con nada, por lo que pedí que nos hicieran la prueba del coronavirus. Pensaba que ella lo tenía.

—Padre Amado, concédenos la salud. Mami no resistiría ese virus y me muero si tengo que dejarla sola en el hospital sin saber qué harán con ella -suplicaba llena de incertidumbre.

Recibí un mensaje de texto del Departamento de Salud de la ciudad que decía que los resultados de mi madre eran negativos. Respiré profundo. ¡Gracias, Señor! Pero me llamó la atención que no dijeron nada de mí.

Una hora después recibí una llamada del Estado.

—Señorita, Ana Carina, ¿cómo se siente? —preguntó muy pausado el representante.

—Normal. ¡Qué bueno me llama! Recibí los resultados de mi madre y los míos no. Ella dio negativo, supongo que yo también —contesté esperanzada.

—Lo siento, por eso le llamo. Usted ha dado positivo al covid-19. Debe mantener distancia de su madre. Usar una habitación y baño separado y por 15 días no salir a la calle. Si se siente mal, llame a su doctor y si presenta problemas para respirar pida ayuda al 911. ¿Alguna pregunta?

—No, gracias —respondí confundida.

El diagnóstico me paralizó. Pensaba en lo que haría con mi mamá. Cómo la cuidaría sin contagiarla y qué pasaría con ella si yo terminaba en el hospital. La frustración, impotencia y miedo que sentí no se los deseo a nadie.

Pedí ayuda a familiares para que se la llevaran a sus casas, pero la negativa a través de las excusas era obvia. Me puse a orar y me calmé.

—Tranquila, Carina, Dios nunca las ha desamparado ni lo hará y si la ha guardado hasta hoy, este virus no la contagiará. Así que confía en que Él te dará las fuerzas e ideas para cuidarla y pasar esto con bien —pensé confiada.

Los síntomas que presentaba eran similares a los de la fibromialgia, a diferencia de la falta de aire por momentos.

La tos de mi madre empeoraba, por lo que la llevé a un centro de urgencias en contra de su voluntad. La cara de la doctora me hizo sentir que algo andaba mal.

—La doña presenta una neumonía viral. Por su condición cardiaca, debe ser llevada de inmediato a emergencias —aseguró la especialista.

Sentí que se me caía el mundo encima. Al yo tener el virus nadie podía acompañarme y el solo hecho de pensar que la dejarían ingresada sola, me quebrantó el corazón.

Con bajas temperaturas se me ordenó esperar fuera y de pie hasta que le realizaran los exámenes y decidieran si la dejaban o no. A lo que tanto le corrimos, ocurrió.

—Su madre tendrá que quedarse en el hospital. Ponga su nombre y número de contacto en ese papel. Nosotros le llamamos para informarle cómo va evolucionando. Ahora retírese —me dijo como si nada el encargado de la unidad.

—¿Verdad que no te vas? Espérame ahí afuera —Me decía mami llorando desesperada.

Esta situación me hizo sentir desesperada, triste y con el temor de que mi teléfono sonara para darme una mala noticia, como les ocurrió en esos días a muchos conocidos.

Llegué a la casa y sentía que me faltaba el alma. No comí nada ese día, vomité y me dio escalofríos. Las llamadas y mensajes de aliento de mis cercanos me ayudaron a cobrar el ánimo. Me aferré a Dios, la puse en sus manos y en la madrugada Él obró. La llamada del doctor de emergencias me lo confirmó.

—No sabemos qué ha pasado. Cuando su madre llegó al hospital la radiografía mostraba neumonía y pensamos que la tos tenía que ver con eso y el corazón, pero luego de hacerle otros estudios más profundos, no tiene nada y está negativo al covid-19.

—Bendito sea Dios, doctor. ¿Puedo ir por ella? —pregunté emocionada.

—No. La dejaremos para hacerle otros estudios y observarla. Si sigue así, mañana en la tarde le damos el alta.

—¿Y cómo está ella? —pregunté de nuevo.

—Ahora más tranquila. No quiso cenar, solo un jugo. La llevaremos a una habitación.

—Gracias. Cuídemela. Es lo más valioso tengo. Dígale que la amo —Expresé.

—Sí. Le diré. Duerma tranquila. Ella estará bien. Buenas noches.

Al escuchar esta noticia, el alma me volvió al cuerpo. Les avisé a mis hermanos y agradecí a Dios. Estaba convencida: Él cambió los resultados.

Yo le estaba ganando la batalla al virus. Mi madre, ya en casa, se sentía mejor y las muestras de cariño de las personas que ni mis familiares eran, me llenaban de gratitud.

Me dejaban comida en la puerta, procuraron nuestra ropa para lavarla. Me hicieron la compra. Me dejaban mensajes de aliento. Acciones que me recordaban que Dios obra a través de los demás.

Mi doctora estaba asombrada de que, con mi condición, el estrés y el poco descanso que llevaba pasara el covid-19 sin complicaciones, pero me sugirió que necesitaba ayuda con mi mamá, que si seguía así yo colapsaría primero que ella.

Actualmente, una prima me ayuda unas horas con el cuidado de mami, pero sigue siendo mucho para mí. No sé lo que es dormir una noche completa. Tengo que hacer de lado mis malestares para centrarme en ella. Mis proyectos personales no los puedo desarrollar como deseo.

Pensando en su mejoría y mi bienestar, mis hermanos y yo decidimos que lo mejor es que ella regresara a República Dominicana. El encierro a su edad y con su condición en este país, es letal. Con esa decisión, yo podría tener descanso y dedicarme a mis cosas.

Me queda la satisfacción de que lo he dado todo desde el amor a mi mamá. Si parte primero que yo, me quedará el deleite del deber cumplido.

En su momento, ella lo dio todo por mí. Ahora, a pesar de mi enfermedad y necesidades personales, me tocó darlo todo por ella. Y así pasé a ser de cuidada a cuidadora.

Como dice el dicho: "¿Quieres saber cómo es una persona? Mira como trata a su madre".

Una mirada psicológica

"Conozca todas las teorías. Domine todas las técnicas, pero al tocar un alma humana sea apenas otra alma humana"
Carl G. Jung.

En mi proceso de sanación fue determinante el acompañamiento psicológico que recibí de la psicoterapeuta Paola Infante Moronta, quien, con su amor, empatía y esa luz penétrate que irradia me ayudó a terminar de darle otra mirada a la enfermedad y demás situaciones que he atravesado.

Fue en una de sus consultas donde decidí que no podía postergar más este libro. Aún recuerdo sus palabras:

—Ana, tu historia tiene que ser basada en tu enfermedad. Son tantos los pacientes llegan a mí incomprendidos, sin saber qué hacer y sé que tu testimonio les ayudará —Me dijo convencida.

—Así será doctora, gracias por su comprensión —Respondí emocionada.

A mi inquietud sobre el dolor y la travesía que pasamos la mayoría de los que padecemos una enfermedad crónica, mi terapeuta Paola reflexionó lo siguiente:

Hablar de dolor es hablar de humanidad, individualidad y respeto.

Humanidad porque el dolor es algo de lo que ningún ser humano puede librarse. Las circunstancias llegan y junto a ellas enfermedades que no solo causan dolor físico sino también emocional.

Individualidad porque desde mi acompañamiento en terapia confirmo una y otra vez que no hay dos personas o dos procesos iguales. Y por ello, nace el tercer punto: el respeto. Respeto por la manera en la que cada quien, desde su individualidad y humanidad, vive su vida y todo lo que en ella experimenta.

En mi consulta veo el dolor y sufrimiento de manera regular. En pacientes con enfermedades "invisibles" el dolor puede, en muchos casos, agudizarse. ¿Por qué? Porque junto a los síntomas y dificultades propias de la enfermedad, también llega el dolor por ser incomprendido, no escuchado, invalidado o irrespetado. Algunos llegan con etiquetas de "loco", "exagerado", "muy débil" o simplemente "alguien nervioso que se lo buscó".

Derribar estas etiquetas ya son de hecho, uno de los mayores retos en consulta.

Sin embargo, lo que quiero contarte en estas pocas líneas son aquellas cualidades, evidentes, pero no "perfectas", que puedo ver en pacientes adultos, resilientes, que aún transitan o que han superado algunas de estas enfermedades.

- ✓ **Búsqueda:** De manera diligente buscan respuesta a lo que ocurre en su cuerpo o mente. No se conforman con un diagnóstico o una indicación de un medicamento y listo. Ellos quieren saber por qué, qué cosas adicionales pueden hacer, cómo prevenir recaídas, cómo cuidarse, a dónde más recurrir.

- ✓ **Aceptación:** Aunque al inicio se nieguen a aceptar un diagnóstico, logran eventualmente reconocer que existe y es real, pero no desde el conformismo, sino 1) desde la rendición a Dios, donde aceptan que solo Él tiene el control de sus vidas y 2) desde la esperanza, sabiendo que a partir de ese diagnóstico pueden hacer algo más para mejorar o recuperar su salud.

- ✓ **Responsabilidad:** Los pacientes resilientes asumen con responsabilidad su proceso de recuperación. Aunque buscan la intervención y apoyo de especialistas, familiares y demás, se paran como seres responsables de sus vidas, no esperando que alguien acoja ese rol y les diga qué hacer o qué no hacer.

- ✓ **Fe:** Desde mi experiencia personal y profesional, he sido testigo del poder de la fe en Dios como elemento fundamental en la sanidad y mejora de la calidad de vida de una persona. La fe atiende las preguntas existenciales que la ciencia no abarca. La fe les brinda esperanza, consuelo, paz y gozo aún en medio de las vicisitudes. La fe les recuerda que Dios está en Su trono y cuida de ellos, aunque no siempre lo vean. La fe incluso les permite sacar un sentido o propósito a su enfermedad.

- ✓ **Autotrascendencia:** Una vez un paciente ha pasado su duelo, y a veces en medio de él, decide salir de sí mismo y tocar las vidas de otras personas a través de su experiencia con la enfermedad. Crean fundaciones, participan en grupos de apoyo, comparten sus testimonios en línea, asisten o llaman a otros que están iniciando el proceso. En resumen, empiezan a servir. Y ese servicio va jugando un rol potencialmente sanador.

- ✓ **Vulnerabilidad:** Aun cuando sientan que han superado los peores momentos, se mantienen humildes, validando sus emociones, siendo vulnerables al abrir su corazón, mientras también establecen límites que guardan su vida emocional, física y espiritual.

Algo importante que quiero destacar es que estas características o cualidades no las tienen los super héroes y no pertenecen solo a los "fuertes". La resiliencia es algo que está al alcance de aquel que quiera experimentarla.

No siempre harás todo como pintan los libros. Y eso está bien, somos humanos. El punto nunca será vivir el dolor desde un sentido de perfección y e ilusión falsa de fortaleza. El objetivo más bien es no negar el sufrimiento que trae este dolor y encontrar un propósito en él para continuar viviendo, sanando, sintiendo, amando y caminando intencionalmente mientras haya respiración.

Qué lindo sería desprendernos de las etiquetas, el optimismo radical que rechaza todo tipo de sufrimiento y el espíritu de superioridad que nos hace creer que el dolor del otro no es tan relevante. Hagamos el intento de empezar el cambio en nuestros corazones. Honra y valora cada esfuerzo y paso que das en pos de tu salud. Aplaude tus logros, aprecia las lágrimas cargadas de dolor y propósito también, y más que nada, vive... Que la vida siempre lo valdrá todo.

Herramientas que me sostienen

"Cada problema tiene en sus manos un regalo para ti".
Richard Bach

Cada experiencia vivida me ha dejado una enseñanza. Gracias a ellas, he forjado mi carácter y he encontrado los medios para hacer más llevadera la enfermedad y toda prueba que se me presenta.

¿Cuáles herramientas usé para sanar y empoderarme de mi vida?

- ***Perdón***
- ***Amor propio***
- ***Gratitud***
- ***Resiliencia***
- ***Un día a la vez***

EL PERDÓN

Dijo William Shakespeare que “el perdón cae como lluvia suave desde el cielo a la tierra. Es dos veces bendito; bendice al que lo da y al que lo recibe”.

Cuando acepté que mi padre tenía sus realidades como persona, que su accionar no fue un acto en mi contra y que su ausencia no era mi responsabilidad, pude perdonarlo de corazón. También pude comprender que el proceder de mi hermano eran celos mal manejados y que en el fondo me quería. Este reconocimiento soltó en mi alma el nudo que me mantenía triste, angustiada y en el victimismo.

Me motivé a perdonar al hombre que en su momento entendía tanto dañó mi estima. Llegué a la comprensión de que, tan responsable es el que mal actúa como el que acepta y hace suya la agresión.

Pasos que me ayudaron a perdonar

- Reconocí que la falta de perdón afecta mi salud física y emocional.

- Asumí mi responsabilidad.

- Acepté, solté y dejé ir.

- Me perdoné.

- Decidí cuáles relaciones renovar o terminar.

- Agradecí cada experiencia vivida.

Teniendo en cuenta que perdonar no es olvidar la ofensa, sino recordar sin dolor, hagamos el siguiente ejercicio.

En una postura cómoda, inhala, exhala. Visualiza a esa persona que quieres perdonar y te cuesta.

Repite en tu interior desde el alma:

Me perdono a mí y te perdono. Dejo ir el odio y el rencor y me libero de esta atadura.

Que seas feliz. Que estés libre de sufrimiento. Que estés en paz. Ahora veo más claramente tus motivos y entiendo mejor tu intención. Te dejo libre con tu vida y yo me quedo libre con la mía.

Te invito a que reflexiones en tus vivencias. Reconoce el perdón que tienes pendiente y busca la manera de darlo o pedirlo. A lo mejor el primer acto de perdón te lo debes a ti. La vida es breve. Son tiempos inciertos y quizás lo que menos nos queda es tiempo para actuar.

CULTIVAR EL AMOR PROPIO

"Ámate a ti mismo primero y todo lo demás vendrá a continuación. Realmente tienes que amarte a ti mismo para conseguir hacer algo en este mundo". Lucille Ball.

Cuando comencé a cambiar mi discurso interno, a mirarme desde el respeto, a cuidarme, poner límites y a practicar la aceptación, mis vacíos se fueron llenando y mis heridas sanando.

¿Cómo lo logré?

- Viviendo el ahora.
- Actuando en función de mis necesidades.
- Cuidando mi cuerpo.
- Estableciendo límites.
- Perdonándome.
- Viviendo con propósito.

LA GRATITUD

Al enfocar mi atención en lo mucho que tenía y no en lo poco me faltaba, mi realidad se colmó de bienestar. Mejoró mi autoestima y mis vínculos con los demás.

Las circunstancias adversas comenzaron a tener una mirada positiva. Mientras más agradecía, más sana y plena me sentía y comencé a ser testigo de que se puede sentir paz en medio de las pruebas.

Recomendaciones para practicar la gratitud.

- Valora las pequeñas cosas.
- Expresa tu gratitud.
- Busca motivos para agradecer.
- Enfócate en lo bueno de lo adverso.
- Da gracias por lo bueno que hay en ti.

RESILIENCIA

Reconforta saber que los momentos difíciles fueron el motor que me llevaron a desarrollar una de las virtudes más poderosas que tenemos las personas, la resiliencia. Esa capacidad para superar las circunstancias traumáticas y convertirlas en el camino a la excelencia.

¿Cómo me sobrepuse a lo adverso y llegué a la conciencia de que nada es más grande que mi voluntad de levantarme y fluir con la vida?

- Establecí relaciones de apoyo.
- Evité ver las crisis como insuperables.
- Acepté que el cambio es parte de la vida.
- Me enfoqué en mis metas.
- Desarrollé actividades de autodescubrimiento.

- Cultivé la esperanza y la fe.
- Decidí cuidar de mí.

UN DÍA A LA VEZ

Expresión que se ha convertido en mi mantra diario, situándome de manera consciente en lo único que tenemos: el ahora, bastándole a cada día su afán.

Cuando dejé de llenar el presente con culpas y remordimientos del pasado y de añadirle las incertidumbres y preocupaciones del futuro, pude experimentar salud física y emocional.

Pautas para vivir un día a la vez

- Acepta todo lo que llegue a tu vida.
- Reflexiona y luego actúa.
- Renuncia al control.
- Disfruta cada instante.
- Suelta las ideas preconcebidas.
- Aprovecha el momento.
- Deja el pasado atrás.
- Agradece.

El transcurrir hacia mi proceso de sanidad y el resultado obtenido al aplicar estas herramientas, los veo plasmados en el poema “Mi vida huele a flor” de Elvira Sastre:

He redondeado esquinas
para no encontrar monstruos a la vuelta
y me han atacado por la espalda.
He lamido mi cara cuando lloraba
para recordar el sabor del mar
y solo he sentido escozor en los ojos.
He esperado de brazos cruzados
para abrazarme
y me he dado de bruces contra mi propio cuerpo.
He mentido tanto
que cuando he dicho la verdad
no
me
he
creído.

He huido
con los ojos abiertos
y el pasado me ha alcanzado.

He aceptado
con los ojos cerrados
cofres vacíos
y se me han ensuciado las manos.
He escrito mi vida
y no me he reconocido.

He querido tanto
que me he olvidado.
He olvidado tanto
que me he dejado de querer.

Pero
he muerto tantas veces
que ahora sé resucitar
—la vida es
quien tiene la última palabra—.
He llorado tanto
que se me han hecho los ojos agua
cuando he reído,
y me he besado.
He fallado tantas veces
que ahora sé cómo discernir los aciertos de lo

inevitable.
He sido derrotada por mí misma
con dolor y consciencia,
pero la vuelta a casa ha sido tan dulce
que me he dejado ganar
—prefiero mi consuelo
que el aplauso—.

He perdido el rumbo
pero he conocido la vida en el camino.
He caído
pero he visto estrellas en mi descenso
y el desplome ha sido un sueño.

He sangrado,
pero
todas mis espinas
han evolucionado a rosa.

Y ahora
mi vida
huele a flor.

Gracias a mi fuerza de voluntad, el deseo de ir por más y a que la gracia de la Divinidad me alcanzó, me sobrepuse a lo vivido.

El desarrollar mi vocación de servicio fue la antesala a la construcción de mis sueños y de mi sanidad integral.

Sentía que cada vez que visitaba a los presos, niños con cáncer, personas de la tercera edad, y llevaba mensajes de esperanza a comunidades pobres, cada tristeza vivida se transformaba en dicha, agradecimiento y en un impulso de ir por más.

El tiempo empleado en lamento, lo usé guiando a jóvenes por el camino de la fe y un estilo de vida en valores y es reconfortante saber que para muchos soy un referente de fe, esperanza y resiliencia.

Mi carrera la enfoqué en resaltar lo positivo y los testimonios recibidos por los lectores fueron mi mayor paga.

Jamás olvidaré cómo un señor fue a buscarme al periódico donde trabajaba para agradecerme que gracias a un escrito que hice sobre el perdón su hija se reconcilió con él, luego de 10 años sin hablarle. También un joven me escribió un mail diciendo: "Gracias a tu columna de hoy, no me suicidé".

Verdaderamente, la mejor decisión que podemos tomar es usar nuestras experiencias como herramientas de crecimiento y de ejemplo para otros.

Tengo una relación sana con mis hermanos. Cuando pienso en mi padre, en paz descanse, oro y digo: "gracias a ti tengo vida".

En lo sentimental aún estoy en el proceso de sanación.

Hoy no tengo la menor duda de que el resto de mi vida quiero dedicarlo a impactar a otros con mi testimonio de vida y mi vocación de servicio como coach de vida y speaker motivacional.

Hice de verdad las paces con la fibromialgia. Yo la tengo a ella, no ella a mí. Científicamente no hay cura, pero desde un estilo de vida saludable, una buena actitud, confiando en mí y en Dios he podido tener calidad de vida.

Trascender el dolor, los prejuicios, el rechazo, la negación y el deseo de morir me ha dado la certeza de que todo obra para bien y que soy más que mis circunstancias. Está en mí quedarme en la oscuridad o hacer de ella luz para mi camino y el de otros.

Desde el dolor he creado la vida que merezco, en plenitud, con propósito. Sí, tengo fibromialgia, y la convicción de que el amor es la respuesta a tanto dolor.

Atesoro la frase de Michel de Montaigne: "El amor es el ala que Dios ha dado al alma para que pueda subir hasta Él".

Así es, el amor todo lo transforma. Con la Divinidad basta.

Mi pacto con la vida es amarme, respetarme y no dejarme para después. Yo lo hice, sé que tú también lo puedes hacer. Recuerda: un día a la vez.

Bibliografía

Cañadas, D. (2019). Hipocondría ¿cómo detectar a la persona hipocondríaca?. Canales MAPFRE -SALUD.
https://n9.cl/k7iv0

Martin, J. (2015). Accepting Chronic Pain: Is it necessary? (A. Guasp, Trad.). Red Ehlers Danlos Argentina.

https://sites.google.com/site/rededargentina/El-dia-a-dia-con-la-enfermedad/aceptar-el-dolor-cronico-es-necesario

Acerca de la autora

Ana Carina Castillo, nació en Santiago de los Caballeros, República Dominicana. Actualmente es residente en New York, Estados Unidos. La menor de tres hermanos. Periodista y locutora de profesión. Coach de vida, speaker motivacional. Promotora de las buenas noticias y de vivir un día a la vez.

Se desempeñó como columnista en el vespertino Voz Diaria. Fue correctora del periódico La Información y de la Editorial De La Rosa.

En el 2013 ganó el segundo lugar del concurso de Ensayo Periodístico Literario "René Fernández Almonte".

Sus poemas aparecen en la antología poética Milagro de jueves, del Taller Literario del Centro de la Cultura de Santiago, del que fue miembro.

Dios, familia y amigos, su mayor regalo e inspiración. Fe, amor, perdón y resiliencia, virtudes que le han hecho más placentero su caminar en este plano. Su tarea: Brindar las herramientas para vivir de la mejor manera un día a la vez, así como desarrollar y aplicar la resiliencia en las situaciones que se nos presentan a lo largo de nuestro existir.

La puedes seguir en Instagram como @castilcari y en Facebook como Ana Carina Castillo.

Made in the USA
Middletown, DE
04 October 2021